D1589762

RATUS POCHE

COLLECTION DIRIGÉE PAR JEANINE ET JEAN GUION

❧

Ratus chez le coiffeur

Les aventures du rat vert

© Hatier Paris 2003, ISSN 1259 4652, ISBN 978-2-218-74375-7

Ratus
chez le coiffeur

Une histoire de Jeanine et Jean Guion
illustrée par Olivier Vogel

Hatier
jeunesse

LES PERSONNAGES
DE L'HISTOIRE

Monsieur Arthur
le coiffeur

Ratus
l'affreux rat vert

Marou et Mina
qui aiment rire et jouer

Tout a commencé un jour de janvier, lorsque Mina a dit au rat vert :

– Tu devrais aller chez le coiffeur, Ratus, tes cheveux sont trop longs.

– Je n'aime pas les coiffeurs ! a répondu le rat vert. Je n'y vais jamais.

– Si tu veux, je te couperai les cheveux moi-même. Je sais faire. C'est moi qui coupe les cheveux de ma poupée.

– Bon, je veux bien, si ça te fait plaisir.

Que fait Mina dans l'histoire ?

Mina est allée chercher ses ciseaux et un peigne. Elle a mis une serviette autour du cou de Ratus. Clic ! Clac ! Les ciseaux frôlent les oreilles du rat vert.

1

– Ça y est, j'ai fini, dit Mina.

Ratus rentre chez lui et va se regarder dans un miroir. Il pousse un cri :

– Quelle horreur ! Je ne peux pas sortir avec une tête pareille !

Où veut aller Mina, dimanche ?

Un mois plus tard, les cheveux du rat vert ont repoussé. Un samedi matin, alors qu'il monte sur sa moto, Mina arrive en courant :

– Dis, Ratus, tu veux bien aller chez le coiffeur ?

– Pas question ! répond le rat vert.

– Alors, je ne veux pas que tu viennes avec moi au bal costumé de dimanche, dit Mina.

Puis elle insiste encore :   2

– Il y a un nouveau coiffeur à Ville-Ratus. C'est un rat comme toi.

– Bon, dit Ratus, si c'est un rat et si ça te fait plaisir, je vais y aller.

Où est Monsieur Arthur ?

Le nouveau coiffeur de Ville-Ratus s'appelle Monsieur Arthur. Il jongle avec ses peignes et ses brosses ; il les lance en l'air et les rattrape sans les faire tomber. Un client 3 vient d'entrer : c'est Ratus.

– Merveilleux ! dit Monsieur Arthur. Un rat vert, c'est rare. Et c'est beau ! Je dirais même plus : un rat vert, c'est chou !

– Je ne suis pas un chou, dit Ratus. Je veux que vous me fassiez beau pour aller au bal avec Mina.

– Avec une tête comme la vôtre, c'est facile, dit Monsieur Arthur.

Que fait Ratus pendant qu'on le coiffe ?

Monsieur Arthur a sorti des ciseaux, deux peignes, trois brosses et un grand raśoir. A portée de la main, il a un fer à friser et un sèche-cheveux. 4

– Vous avez besoin de tout ça ? demande Ratus un peu inquiet. 5

– Bien sûr! répond le coiffeur. Je veux que vous soyez le plus beau rat de la 6 ville. Je vais vous faire une coiffure d'artiste.

Très flatté, Ratus se laisse coiffer. Il rêve 7 que tout le monde se retourne sur son passage pour l'admirer.

– Je vais aussi vous faire les moustaches, dit Monsieur Arthur. Vous serez encore plus beau.

A quoi ressemble Ratus après son passage chez le coiffeur ?

Une heure plus tard, Monsieur Arthur a terminé.

– Comme vous êtes mignon ! dit le coiffeur.

– Au secours ! crie Ratus en ouvrant les yeux. C'est moi, ça ? 8

Ratus sort du salon fou de rage. Sur le trottoir, les gens rient : ils n'ont pas l'habitude 9 de voir un rat vert avec des moustaches et des cheveux frisés. Ratus est de plus en plus en colère.

Quelles sont les deux phrases prononcées par Ratus ?

17 Je veux que Mina me voie dans cet état.

18 Je ne veux pas que Mina me voie dans cet état.

19 Je voudrais une perruche.

20 Je voudrais une perruque

21 Vous me donnerez aussi des fausses moustaches bien rouges.

– Je ne veux pas que Mina me voie dans cet état, dit le rat vert en sautant sur sa moto.

Et Ratus se dirige vers le magasin du perruquier. 10

– Je voudrais une perruque, dit Ratus en 11 entrant dans la boutique. Une perruque en cheveux de rat ! Vous me mettrez aussi des fausses moustaches bien raides. 12

– Des blanches ou des vertes ? demande le vendeur.

– Des vertes, dit Ratus.

Quelle est la perruque choisie par Ratus ?

– Et pour votre perruque, que désirez-vous ? demande le marchand.

– Euh ! Je crois qu'une perruque d'artiste m'irait très bien. Vous en avez ?

– Non, répond le vendeur. Je peux vous proposer une perruque de marquis. J'en 13 ai une superbe. Mais il faut la retoucher 14 pour laisser passer les oreilles. A moins qu'on ne vous les coupe un peu, car elles sont très grandes.

– Laissez mes oreilles tranquilles, dit Ratus. Et aidez-moi à mettre tout ça.

Quel va être le déguisement de Ratus ?

Ratus est à peine de retour chez lui que
Mina et Marou frappent à sa porte.

– Tu mets déjà ton déguisement ? demande 15
Mina en voyant le rat vert avec sa perruque. 16

– Le bal, c'est demain ! ajoute Marou.

– On va avoir un succès fou ! dit Mina. 17
C'est sûrement Ratus qui gagnera le premier
prix.

– Et en quoi es-tu déguisé ? demande Marou.

Ratus bafouille : 18

– Je suis déguisé en... en... en marquis.

Le lendemain du bal masqué, quel article pouvait-on lire dans le journal de Ville-Ratus ?

LE RATUS
premier quotidien de ville-Ratus

GENIAL : Ratus était déguisé deux fois.

Il portait un déguisement de rat frisé sous un déguisement de marquis !

ARTICLE 28

Une surprise attendait hier soir les Ratussiens au bal masqué des écoles. Au moment de la remise des prix, ils ont découvert que Ratus cachait un déguisement de rat frisé sous son déguisement de marquis. Le rat vert a été acclamé et le jury a décidé de lui offrir une meule de gruyère. Souhaitons bon appétit à l'heureux gagnant !

ARTICLE 29

Vers 22 heures, les gendarmes ont été appelés au bal masqué des écoles. Ratus, notre insupportable rat vert, s'était déguisé en coiffeur. Il se faufilait au milieu des danseurs pour leur couper des mèches de cheveux. Au total, 23 personnes ont été ainsi odieusement scalpées. Le voyou a été jeté hors du bal.

ARTICLE 30

Cette année encore, très peu d'enfants s'étaient déguisés pour le bal masqué des écoles. Il est probable que la télévision est responsable de l'échec de cette fête. Les Ratussiens ont sans doute préféré regarder « Les dragons font la loi ». Triste époque !

24

Et c'est bien Ratus qui a gagné le premier prix au bal masqué !

Il est monté sur la scène, puis on lui a demandé d'enlever son déguisement. Ratus est alors apparu avec ses moustaches et ses cheveux frisés. Toute la salle a ri et a applaudi.

Le lundi, le rat vert avait sa photo dans le journal. On pouvait lire :

«Génial : Ratus était déguisé deux fois. Il portait un déguisement de rat frisé sous un déguisement de marquis».

1

ils **frôlent**
Les ciseaux **frôlent**
les oreilles : ils
passent très près
des oreilles.

2

elle **insiste**
Elle demande encore.

3

un **client**
(on prononce :
cli-ian)
C'est la personne qui
achète quelque chose
ou qui donne de
l'argent pour avoir
un service.

4

un **fer à friser**

5

inquiet
On est **inquiet** quand
on a un peu peur de
ce qui va se passer.

6

soyez
(on prononce : *soi-ié*)

7
flatté
Il est content parce
qu'on lui fait des
compliments.

8
les **yeux**
(on prononce : *z-ieu*)
Un œil, des yeux.

9
ils **rient**
(on prononce : *ri*)

10
un **perruquier**
C'est un fabricant de
perruques.

11
une **perruque**
C'est une coiffure
faite avec de faux
cheveux.

12
raides
Des moustaches
raides sont des
moustaches qui ne
frisent pas du tout.

13

un **marquis**

14

superbe
La perruque est très belle.

15

un **déguisement**
(on prononce :
dé-gui-ze-man)

16

en **voyant**
(on prononce : *voi-ian*)

17

un **succès**
C'est une réussite.

18

il **bafouille**

29

Les aventures du rat vert

Super-Mamie et la forêt interdite

Les histoires de toujours

Ralette, drôle de chipie

L'école de Mme Bégonia

La classe de 6e

Les imbattables

Baptiste et Clara

Francette top secrète

M. Loup et Compagnie

Conception graphique couverture : Pouty Design
Conception graphique intérieur : Jean Yves Grall • mise en page : Atelier JMH

Achevé d'imprimer en France par Pollina, 85400 Luçon - n°L57289
Dépôt légal n°74375-7/10 - Juin 2011